5

處女座的香水與山羊座的面具

作者	陳四月
繪畫	魂魂 SOUL
策劃	余兒
編輯	小尾
設計	Zaku Choi
校對	Eva Lam
出版	創造館 CREATION CABIN LIMITED 荃灣芙蓉街 1 號時貿中心 604 室
電話	3158 0918
聯絡	creationcabinhk@gmail.com
發行	泛華發行代理有限公司 將軍澳工業邨駿昌街七號二樓
印刷	高科技印刷集團有限公司
出版日期	2024 年 4 月
ISBN	978-988-70026-5-9
定價	$78

Follow 我們 ...

Instagram

facebook

出版

製作

迦南

擁有金黃魔力的人類少女。好
奇心重,領悟力強,平易近人
的她曾被黑暗勢力封印起她的
魔力,是九頭蛇想捉拿的人。

安德魯

吸血鬼高材生。外形冷
酷,沈默寡言,喜歡閱讀
的他想找出失蹤多年的
父親,對迦南格外關心。

卡爾

胃口極大的人狼。是學園
小食部常客,身材健碩,
熱愛跑步,經常遲到的
他和安德魯自小已認識。

四葉

來自東方學園的九尾妖狐
少女。活潑好動而且十分
熱情的她和卡爾有婚約在
身。和迦南一樣,四葉也
擁有金黃魔力。

阿諾特

吸血鬼一族的王子,是被
寄予厚望和榮耀的天才。追求力
量和榮耀的他自視高人一
等,對同樣被視為天才的
安德魯抱有敵意。

唐三藏

東方學園的年輕教師,和
迦南一樣是人類。法術高
強的她美貌與智慧並重,
心地善良以作育英才為己
任。

孫悟空

在東方魔幻世界中無人不
知的名字。失去記憶的他
只知道自己要保護唐三
藏,但為什麼變成了小猴
卻是謎團。

右京

現存人數不多的忍者一族的
領袖,不單法術了得,還天
生具備獨特異能。曾經是獵
人的他和丹妮絲關係密切。

雙兒

東方法術名門世家的後
人,沈默寡言,性格冷酷。
為了令妹妹起死回生而踏
上旅途。

雙雙

東方法術名門世家的後
人,雙兒的妹妹,為保護
姐姐而犧牲,現在以殭屍
姿態暫時存活。

依娃

稀有的不死族妖魔,不老
不死的她已經活了幾百
年。被封印在魔法瓶子內
的她仍相信總有一天能回
到九頭蛇海德拉身邊。

海德拉

才華洋溢的天才魔法師,
為拆穿王國的謊言,揭露
歷史真相而不惜犧牲一
切,是令人聞風喪膽的黑
魔法派領袖。

我的
吸血鬼同學

第一章
儀式的藥引

　　人界摩天大廈內，大批公會獵人接報到場，準備鎮壓闖入大廈並大肆破壞的不法妖魔。為了在財雄勢大的天啟財團手上救出海德拉，阿諾特安排越獄的黑魔法派幹部來到人類世界支援，但能支配黑魔法派的，由始至終只有黑魔法派的領袖——**九頭蛇海德拉**。

　　「太慘烈了……」分部長帶齊人馬攻入大廈，但駐守大廈的人類守衛已**死傷枕藉**。

　　黑魔法派的幹部又怎會聽從阿諾特的指揮，加上看到天啟財團把他們的領袖當成能源利用，他們對人類的怨恨已到達頂點，再也無法忍受。

「阿諾特說過他們不會濫殺人類的⋯⋯」此刻大廈的慘況，教艾翠絲不忍直視。

「艾翠絲啊，你必須接受現實，阿諾特和我們是不同的。在妖魔和人類之間，他選擇的一定不是人類。」**種族差異**導致價值觀的不同，這是人類和妖魔持續發生衝突的根源。

自古以來，人類和妖魔的戀情也難以開花結果，無論是當日的女王迦莉和帝王安格斯，還是今日的獵人艾翠絲和吸血鬼阿諾特。

同一時間，阿諾特正穿過傳送門到達東方魔幻世界的五指山，**月黑風高**的這個晚上，正是阿諾特和右京決一勝負的重要日子。

阿諾特十分興奮，曾經他在右京面前束手無策，現在他要嘗試超越這高牆。

專業獵人丹妮絲、齊天大聖孫悟空、東方學園麒麟校長和龜仙翁副校長都成了右京的階下囚，他的一雙魔眼配合大型符咒法術，徹底封鎖四人的魔力，把他們壓在五指巨石下。「就算找到我又如何？你不怕落得和他們一樣的下場嗎？」坐在巨石之上的右京居高臨下，俯視著阿諾特。

　　「你的口氣還是這麼大，放心，我不會令你失望的。」阿諾特確實有備而來，和右京一戰是他期待已久的事。

　　「你們住手吧，既然阿諾特出現在這裡，即是獵人公會已搗破你效力的集團，戰鬥下去已沒有任何意義……」丹妮絲勸說。

　　「的而且確，海德拉應該已被救出；公會獵人亦已趕到大樓；你的老闆已放棄這裡了。」阿諾特說出事實，右京和天啟財團大勢已去。

「忍者一旦接受委托，便絕對不會背叛主子，就算捨棄生命也會堅守崗位，這是我的『忍道』。」右京是這強大封印術的關鍵，只要他不解忍術，巨石下的四人和海德拉便永遠無法重獲自由。

「**右京，不要一錯再錯！你現在還可以選擇投降，向公會指證天啟財團的惡行！**」丹妮絲心急如焚，她很了解右京有多麼固執。

「我會為我做過的事付出代價，但前提是……你能夠戰勝我，吸血鬼阿諾特。」要右京解除封印術，辦法只有一個。

「我就知道你是不會投降的，說穿了其實你也很期待吧？期待著和我**互相廝殺**！」阿諾特張開黑翼，振翅高飛。

9

一邊是曾為復興吸血鬼一族而加入黑魔法派的吸血鬼阿諾特，另一邊是為了復興忍者一族成為天啟財團走狗的忍者右京。他們**惺惺相惜**，互相吸引，現時的他們，更同樣和心上人站在敵對的立場。

女兒國的鳳凰陵墓內，企圖借助殭屍力量一統東方的女帝鳳禧正等待儀式開始。

妖魔三大仙在四周圍貼上符咒，並把困住唐三藏的小金塔放在足有三米高的鳳明君神像前，地板上更雕刻著深深的大型符咒，**萬事俱備**，只欠最後的藥引。

「鮮血？為什麼儀式需要用到陛下的鮮血？」虎將軍對妖魔三大仙的要求感到意外。

「這是為了讓殭屍認定女帝為主人，永遠服從女帝的命令……女帝大可以放心，我們只

需要你一點鮮血，你的夢想就能夠實現。」虎力大仙振振有詞，令鳳禧沒有懷疑。

「事已至此，一點鮮血又算得上什麼？馬上開始儀式吧。」鳳禧以鋒利的指甲劃破手腕，鳳凰的鮮血慢慢落到地板，流淌在大型符咒上。

「鳳禧陛下……」虎將軍自從踏入儀式進行的秘密地點開始，便坐立難安。

這裡**陰森可怖**，周圍瀰漫著詭異的氣氛；然而鳳禧心意已決，只要能一統東方，建造她的理想世界，她不介意借助**旁門左道**的力量。

但虎將軍的擔憂是正確的，女兒國的惡夢才剛剛開始。

「為什麼……血流……無法停止？」鳳禧察覺到不妥，血液像被地上的符咒牽引而流淌不停。

「停下來！立刻解除法術！」虎將軍拔刀

威嚇。

「**停？好戲才剛上演啊。**」鹿力大仙早有準備，施放出曾令迦南吃上苦頭的迷煙。

「你們……到底想幹什麼？」鳳禧想掙扎但為時已晚，她的魔力正伴隨血液流失。

「女帝大可以放心，我們承諾過助你一統東方絕不食言，只不過你沒有機會親眼見證這新時代降臨。」虎力大仙由始至終也不隸屬於女帝和天啟財團。強如女帝和天啟財團，都不過是他們三仙所利用的棋子。

地板上的符咒染上鳳凰鮮血後開始燃燒起來，這是妖魔三大仙準備多時，用來復活鳳明君的儀式。

馬家的殭屍秘法、作為魔力原料的聖舍利、還有讓鳳明君重臨大地的鳳凰之軀……

第二章
鳳凰浩劫

小金塔內一片火海，唐三藏和小猴都感受到**無比灼熱**，唐三藏老師的胸口更傳來劇痛，偏偏這時候作為孫悟空分身的小猴正面臨消失。

「師父……你怎麼了？」小猴**手足無措**，不知如何是好。

「我體內的聖舍利正在對儀式產生反應……」唐三藏能感受到聖舍利的力量正從體內被抽取，但在塔內她無法使用法術，只能眼睜睜看著力量流走。

「**如果我是孫悟空，我一定能救師父出去……但我只是個無用的分身。**」小猴看著唐三藏受苦哭成淚人，他是為保護唐三藏而生，卻無法遵守承諾。

「這段日子以來，你一直在保護我⋯⋯對我而言，你就是真正的孫悟空呀。」唐老師把小猴一擁入懷，兩人正面臨**生死存亡**之秋。

而在小金塔外，復活儀式已進入最後階段，鳳凰之火燒遍地板上的大型符咒，高達三米的鳳明君神像崩塌倒下，他被封印已久的靈魂進入了女帝鳳禧的體內。

「陛下，我們很快便能再見面了。」虎力大仙把紅色的符咒貼在鳳禧額頭上，只要待儀式完成，女帝鳳禧的意識便會被曾經號令東方的鳳明君徹底取代。

「你們⋯⋯為何要把我復活？」鳳明君的靈魂轉移到鳳禧年輕並充滿活力的身體，他不會再受病魔折磨，好比回到**全盛時期**。

「為了魔幻世界的未來，請陛下建立不死不滅的皇朝吧。」施術者的命令是絕對的，虎力大仙的話，鳳明君無法違抗。

借助聖舍利的強大力量，不只鳳明君，在場的石像士兵全部都以殭屍姿態**重見天日**。多達千百名殭屍張牙舞爪，部分殭屍更開始向陵墓的出口移動，他們的目標是把女兒國的國民全部變成殭屍。

「鳳禧殿下……請你快醒來，不要被亡魂吞噬。」虎將軍和鳳禧青梅竹馬，她擺脫迷煙的影響奮力走到鳳禧的軀殼前，把她緊緊抱住。

鳳禧的意識正隨時間流逝而被吞噬，要喚醒她，必須在她的意識消失殆盡之前。

「沒用的，她已聽不見你的聲音了。」虎力大仙所言非虛，鳳凰之火在鳳禧身上燒得愈來愈旺，連虎將軍也被燒成重傷。

「陛下，是你教會我就算身為女兒身也不會落後於男性，是你帶領女兒國取得今日的成績，我是不會放棄你的……請你快點清醒過來……」虎將軍聲嘶力竭，但鳳禧沒有回應。最終她還是被鳳明君一腳踢開。

「殺了她吧，讓她們成為不死軍團的一分子，為你繼續效命。」虎力大仙說罷，鳳明君舉起手凝聚巨大火球，想要把虎將軍和女帝親衛隊消滅。

「**上級水流魔法！符咒法術，吹雪召來！**」人魚愛莉和九尾狐四葉施展水與冰的雙重力量，及時為女兒國的將士們解圍。

迦南帶領眾人穿過傳送門到達了儀式進行的禁地，但儀式經已開始，小金塔內的唐三藏正**危在旦夕**。

「鳳明君，還有陪葬的士兵們……你們的呼喚我已清楚聽到，我一定會解放你們的。」迦南頭痛欲裂，女王的力量愈是覺醒，她承受的負荷便愈重。

「白色翅膀的吸血鬼，還有那個魔力異常強大的人類女孩……又是你們這班**阻頭阻勢**的傢伙。」羊力大仙搖晃手中鈴鐺，部分殭屍立即轉移視線到迦南等人身上，更令眾人意外的是雙雙突然出現，並向她們大打出手。

「雙雙！」雙兒終於和妹妹重逢，但雙雙受殭屍秘法影響，已成為受控於他人的超級殭屍。

由始至終，**長生不老和起死回生都只是傳說，但被傳說迷惑的人類和妖魔卻不惜代價**，得到的結果，往往只是淪為受制於人的行屍走肉。

「敵人數量太多了⋯⋯只靠我們幾個是改變不了現狀的。」艾爾文覺得為時已晚。

「不，儀式還沒有完成⋯⋯鳳禧的意識還未完全消失。」迦南聽到了鳳明君和士兵們的求助，她知道現在還能阻止妖魔三大仙的計劃。

「唐三藏老師和小猴在那東西內。」而且迦南能感應到四周正流淌著似曾相識的魔力，而源頭就在小金塔中。

「雙雙、唐老師、小猴⋯⋯」安德魯目露凶光，妖魔三大仙的所作所為徹底激怒了他。

安德魯手執魔法杖，**「嗜血的帝王」**正

呼應安德魯的強大魔力，閃耀著紅光。

「雷霆爆裂魔法！」安德魯和迦南一樣，新的魔法杖大大提升了魔法的威力，向妖魔三大仙使出拿手絕活。

「陛下，這吸血鬼最適合成為剛復活的你，補充身體的養分。」鳳明君迅速飛到妖魔三大仙前面，以鳳凰火翼抵擋安德魯的魔法。

「年輕的吸血鬼啊，我能感受到我女兒的靈魂還在，希望你能夠救救鳳禧……阻止我、阻止女兒國毀於一旦。」鳳明君無法違抗施術者的命令，立即鎖定安德魯為目標展開連番攻勢。

鳳明君和安德魯在空中展開激戰，鳳凰的力量明顯**佔據上風**。地面上迦南等人被殭屍重重包圍，就算知道小金塔就在不遠處，也難以接近。

「雙雙⋯⋯求求你不要這樣。」

雙兒一邊落淚一邊抵擋妹妹的攻擊，她無法對雙雙大打出手。

「吹雪召來！」四葉施展符咒法術，她在學園有過和殭屍對戰的經驗，這對普通殭屍十分奏效。

但雙雙是超級殭屍，她能活用魔力使出符咒法術，燃起猛火，衝破冰封。

「迦南，這裡太多殭屍了……不如我們先逃出去再作打算吧。」艾爾文和卡爾一直抵抗從後接近的殭屍士兵，敵眾我寡，被不會疲累的殭屍淹沒是遲早的事。

「迦南，你認為只要打破那小金塔，就能破壞殭屍秘法對嗎？」四葉認識迦南已久，她清楚迦南的想法，亦相信迦南的直覺。

「嗯……」迦南沒有十足把握，但現在她已想不出其他辦法。

「那就……孤注一擲吧！」四葉報以燦爛的微笑，她願意把自己的命運賭在迦南身上。

第三章

九頭蛇再現

　　五指山上，阿諾特和右京大打出手，阿諾特對這一戰期待已久，毫不保留施展渾身解數。

　　「**黑暗火焰箭雨**！」振翅高飛的阿諾特降下大範圍的黑焰火雨，想迫使右京使出秘密武器——「破邪之眼」。

　　「忍法，大洪水之術。」右京精通多種忍法，就算不用上「**魔力無效化**」的能力，依然是出色的專業獵人。

　　「你在小看我嗎？還不把你的殺手鐗拿出來？」阿諾特凝聚起黑焰火劍，強勢進攻。

　　「你的性格真急躁，讓我們好好享受這場戰鬥吧。」右京使出分身法術，擾亂阿諾特的視線。

「不全力以赴又有什麼值得享受？黑焰龍捲魔法！」黑焰如龍捲風掠過，把右京的分身燒毀。但右京的分身並不只是掩眼法，每一個分身身上也帶著爆炸符咒，一旦受到攻擊便會發生爆炸。

妖魔的身體比人類堅韌得多，阿諾特承受著四面八方的爆炸，傷勢亦能在短時間內再生復原。

爆炸導致五指山上 ●●●●● ，真正的右京看準時機，從後向阿諾特偷襲。右京的匕首在阿諾特的後背劃出血痕，阿諾特的黑焰劍亦反刺中右京的胸膛。

「怎麼了，你就只有這點實力嗎？」
阿諾特準備乘勝追擊，手中的黑焰卻突然消散。

「秘術，破邪之眼。」右京雙眼發出詭異的
亮光，若然和他的雙眼對視，魔力將無法運起。

然而世上沒有**不勞而獲**，愈強大橫蠻
的力量，需要使用者付出愈沉重的代價，這代
價對人類脆弱的身體來說，可以是致命的。

你的眼睛！

令阿諾特驚訝的原因，不是魔力突然消失，而是右京的兩眼流出血淚。

令阿諾特吃盡苦頭的無效化能力，是要消耗右京的生命力才能發動的。

「你不是渴望著擊敗我嗎？放馬過來吧。」右京早已知道自己時日無多，無法在有生之年看到忍者一族復興，他能做的，就只有為年輕的忍者世代留下財產和資源。

所以右京不惜助紂為虐，埋沒良心為天啟財團做盡傷天害理之事，只為在有限的時間給忍者一族留下最大的利益。

「看來你已不打算活下去了呢！」阿諾特能看穿右京的想法，曾投身黑魔法派的他，何嘗不是為吸血鬼族犧牲自己？

但阿諾特比右京幸運，他在人界找到人生目標、找到抱持共同理念的好伙伴、找到令他朝思暮想的對象。

「我絕不會解除他們身上的封印，想救他們的唯一方法，只有殺掉我。」右京已決定這是他生命中最後的一戰，他慶幸人生中最後的對手，是一路走來堅持著自己理念的阿諾特。

「但在我『破邪之眼』的力量面前，你有能力辦得到嗎？」右京散發懾人心魄的壓迫力，他要在最後的一戰施展渾身解數。

五指山上的決戰進入最後階段，而在天啟財團摩天大廈內進行搜索的公會獵人，也承受著巨大得令人喘不過氣的壓迫力——黑魔法派的首領，終於重見天日！

摩天大廈內，獵人們乘坐升降機來到囚禁著海德拉的樓層，海德拉就在樓層中央的巨型培養瓶內，從他落入天啟財團手上開始，他的魔力便一直被抽取，陷入昏迷狀態，但人類對他做的事，他一直也是知道的。

　　「海德拉大人……」不死族妖魔依娃**心如刀割**，她終於回到她承諾侍奉終生的主人身邊，而她從未見過海德拉如此虛弱。

　　「就是這東西在抽取海德拉大人的魔力嗎？」蠍子女妖妮歌首次接觸人類的高科技，把妖魔當作電池般消耗的想法，連不擇手段的黑魔法派也未曾想過。

　　「人類對魔幻世界的威脅已愈來愈大了。」三頭犬賽伯拉斯凝聚魔力，一聲怒吼把所有儀器震碎摧毀。

「天啟財團，這筆帳……我一定要他們十倍奉還！」依娃**怒氣難消**，人類和妖魔的鬥爭將會變得愈來愈激烈。

隨著儀器失去效能，海德拉慢慢蘇醒過來，他睜開眼睛，映入眼簾的是三位忠心耿耿的幹部，他們正單膝下跪恭迎黑魔法派領袖。

「黑魔法派的通緝犯們，馬上舉手投降！」分部長帶領獵人到達現場，各人也手持武器，氣氛**劍拔弩張**。

艾翠絲也跟隨著分部長，身為公會獵人，她有責任阻止依娃等人帶走海德拉。

投降？你們是不是搞錯了？

依娃回頭蔑視獵人。

「魔力……很強大的魔力在急速上升……」艾翠絲察覺到不妥，濃烈的殺氣覆蓋整個樓層。

「**海德拉醒來了！**」分部長發現但為時已晚，海德拉背後伸延出來的長蛇正襲向他帶來的獵人。

反應不及的獵人淪為海德拉補充體力的養分，在場的獵人都擁有專業資格，但就算他們能避過第一輪攻勢，也無法逃出海德拉的掌心。

「這就是黑魔法派的領袖……九頭蛇海德

拉嗎？」艾翠絲被眼前的慘狀震撼得瑟瑟發抖。

「艾翠絲，別發呆！」分部長飛身推開艾翠絲，其中一條長蛇正向她張開血盤大口。

「分……分部長……」艾翠絲得救了，但是分部長代替她承受了致命的攻擊，長蛇的獠牙刺在分部長的頸項上，不消片刻便吸光了他的生命力。

「海德拉大人，她和阿諾特對這次行動有所貢獻，請你放她一條生路吧。」幸好依娃替艾翠絲求情，不然下一個犧牲者就是艾翠絲。

「**黑魔法派很快就會捲土重來，我不會對人類心慈手軟**……你就好好珍惜餘下的時間吧。」海德拉還未恢復狀態，下一次他再出現在人類世界，必定會牽起腥風血雨。

海德拉扔下狠話後，便和三位幹部離開天啟大廈，留下痛哭的艾翠絲在這屍橫遍野的地獄。

鳳凰陸墓內，迦南等人形勢惡劣，一方面要應付從**四方八面**湧上的殭屍，另一方面要盡快救出被困金塔的唐三藏和小猴。

「迦南，你還可以打開傳送門嗎？」四葉問。

「只能勉強打開一次，而且……傳送的距離不遠。」從人界來到東方魔幻世界，再**再車勞頓**到達陵墓禁地，迦南的魔力已所剩無幾。

「沒有其他辦法了……大家，**我們一起為迦南製造機會吧！**」久守必失，四葉等人的體力和魔力明顯下降。

迦南相信現在從小金塔救出唐三藏，還能阻止殭屍秘法，眾人無計可施，唯有把希望賭在迦南身上。

「事到如今……唯有**放手一搏**吧！」人狼卡爾傾盡全力，把接近的殭屍推開。

「聖騎斬馬刀，一刀兩斷！」艾爾文解放聖劍的力量，為迦南開出去路。

「迦南，上吧！」四葉再施放符咒法術，阻擋從後湧上的下一批殭屍。

「大家……」迦南懷著感激之心奔向小金塔，若不是這班摯友偷跑出學園來幫助她，她和安德魯恐怕難以走到這一步。

「那丫頭……打算幹什麼？」迦南的舉動被虎力大仙發現，聽候他命令的鳳明君立即朝迦南飛去。

「你……休想打迦南的主意！」安德魯從後擒抱住鳳明君，然後拍翼高飛，猛力衝破陵墓的頂部。

「混帳……」羊力大仙搖晃鈴鐺，操控超級殭屍雙雙襲向迦南。

「雙雙，請你再忍耐一下……迦南一定會想到辦法把你解放的。」雙兒奮力攔擋住妹妹。

雙雙本應早已逝去，是**雙兒對妹妹的執著，她才會以殭屍的姿態存在至今**。如果可以的話，雙兒希望雙雙永遠留在她身邊，就算是殭屍也在所不惜，但現在雙雙淪為壞人的武器，這是她和雙雙無法接受的事。

「迦南，拜托你了。」雙兒向迦南微笑點頭。

全賴摯友為迦南排除萬難，她終於來到小金塔前。

不能讓她過去！

羊力大仙惱羞成怒，激烈搖晃手中鈴噹，令殭屍行動更加迅速。

愛莉拿出魔法古箏，她在專修科上學習了以樂器演奏出魔法的技術，效果令人喜出望外。

「迦南，我支撐不了多久，快點帶著小金塔離開吧！」伴隨愛莉奏出的樂聲響起，殭屍們被水球包住無法前進。

「我一定會把唐老師救出，再回來幫助大家的！」迦南一手抱住小金塔，另一手打開傳送門，然後進入傳送門離開這人間地獄。

「成功了……」四葉鬆了一口氣，其實她的符咒已全部用盡。

殭屍們衝破水造的囚籠，他們把目標轉移到四葉等人身上，只可惜他們已無力突破重圍。

「笨蛋人狼，你還有多少力量？全部使用出來吧！」但艾爾文沒有放棄，只要能保護多愛莉一秒他也會全力以赴。

「不用你說我也會這樣做，儘管放馬過來！」卡爾擋在四葉面前，他的未婚妻要由他自己守護。

安德魯抱著鳳明君筆直飛馳，撞破陵墓重見天日。鳳明君感受不到痛楚，**鳳凰魔力**更是深不見底，令安德魯感到十分棘手。

鳳明君看著地面上慘烈的情況，那些從陵墓走出地面的殭屍正在襲擊女兒國的平民百姓，他的女兒辛辛苦苦建立的國家，正因為妖魔三大仙對他的執念而毀於一旦。

「吸血鬼啊，我的弱點就在這道**符咒**上，現在破壞它，鳳禧

還能清醒過來，殭屍秘法會立即解除，被他們咬到而殭屍化的人也能回復原狀。」

鳳明君無法親手撕毀符咒，只能寄望安德魯代勞。

「說得真輕鬆容易呢……」鳳明君的全盛時期曾被譽為**東方最強妖魔**，安德魯就算傾盡全力還是和他有很大差距。

「半吊子的攻擊是無用的。」安德魯聽到心魔的聲音在腦袋中響起，頓時變得十分緊張。

「住口……不要在這時候發作……」安德魯害怕血癮在這緊要關頭復發。

「放心，我們是同一陣線的。」心魔的存在對安德魯來說像是人格分裂，是狂暴和負面情緒的綜合體。

「用那一招吧，再拖延下去迦南會有危險的，而且這傢伙一點也不值得可憐。」這歸根究柢也是鳳禧闖出的大禍，心魔不會對她手軟。

「我才不會照你的意思去做。」安德魯握緊魔法杖，其實他已想到爭取時間的辦法，只是他不敢再重施故伎。

「來吧，全力制止我吧，不然不只你的朋友，女兒國的無辜百姓也會在一夜間全被消滅。」鳳明君連續施放出火球，令城市變成**一片火海。**

小靈的預言最終還是靈驗了，她曾預知到**鳳凰之火燃燒大地，不過造成這一切的不是女帝，而是鳳明君。**

另一邊廂，迦南帶著小金塔離開了進行儀式的範圍，但她還身處陵墓之中，因為開啟傳送門的魔力消耗比迦南想像的大得多。

「到底要怎樣做才能打開這小金塔？」迦南用力把小金塔砸向地面，但小金塔是特殊的法術器具，從外而來的物理攻擊對它毫無作用。

「我不可以浪費大家製造的機會⋯⋯一定要儘快救出唐老師。」氣急敗壞的迦南眼泛淚光，她知道四葉等人的形勢有多險峻。

「為什麼還是打不開的？」但就算迦南使出魔法，小金塔依然文風不動。

「再不回去的話……大家也會變成殭屍的……」迦南忍著淚水，她必須變得更堅強、更硬朗。

就像上輩子的迦莉——**人類的女王**。

「如果我是迦莉，我會怎麼辦？」迦南靈光一閃，她曾透過轉生魔鏡，感受女王是如何使用金黃魔力。

「女王的權杖。」迦南模仿迦莉，把僅餘的金黃魔力貫注到魔法杖中，形成一把無形的金黃魔劍。

然後迦南全神貫注，用力揮動魔劍，終於令小金塔出現了微細的裂痕。

五指山上，阿諾特和右京的生死對決進入最後階段，他們都不知道這一戰的結果，對整個魔幻世界，甚至人界也會帶來重大影響。

「師父……」真正的孫悟空被封印和壓在巨石下已很長時間，雖然他不知道唐三藏正經歷什麼的事，但每當她遇到生命危險，孫悟空總能感受得到。

在右京的「**破邪之眼**」注視下，阿諾特無法使出魔法還以顏色，他第一時間想到的方法和丹妮絲一樣，就是閉上眼睛靠感官來迎戰。

「這就是你準備的破解之法？看來是我太高估你的實力了。」但丹妮絲使用這方法敵不過右京。

「**見識一下吸血鬼獨有的作戰方法吧！**」吸血鬼和人界的蝙蝠有著不少相似的特徵，除了尖銳的獠牙和翅膀外，有一點連吸血鬼自己也常忽略。

阿諾特調整呼吸，令自己進入更敏銳的狀態，右京的攻擊僅僅擦過阿諾特的衣角，開始觸碰不了阿諾特的身體。

「**忍法‧分身爆破之術**。」右京打算以假亂真，但這次阿諾特不慌不忙的繞過分身，走到右京面前。

「抓到你了。」阿諾特收起往日的心急浮躁，讓黑焰寂靜在身上燃燒。

但右京反應迅速，潛入影子之中**不動聲色**移動到阿諾特後面。

「這一招對我已行不通了。」阿諾特反手抓住右京的脖子，閉上眼睛的他反而不再被忍術迷惑。

黑火焰在兩人身上熊熊燃燒，升起沖天火柱，阿諾特以本傷人的策略成功，在右京身上留下致命傷。

「**阿諾特！住手！求你不要殺死右京！**」丹妮絲痛苦的**吶喊**，就算已成為敵人，她還是不忍心看著愛過的人受苦。

阿諾特能戰勝右京，妖魔的頑強生命力起了重要作用，身受重傷的右京已成強弩之末。

「為什麼？我的忍術……竟然對你不起作用。」右京問。

「吸血鬼和蝙蝠一樣，與生俱來便擁有**聲納定位**的能力，靠著發出人類聽不到的高頻聲波，接受反射回音，無論你躲在哪裡也無所遁形。蝙蝠能在漆黑的夜晚迅速捕獵獵物，阿諾特等吸血鬼亦擁有相同的能力。

「我應該對你說聲謝謝……自從學會了魔

法，我早已忘記這種**天賦能力**，若不是你這棘手的忍術，我大概永遠不會記起吧！」沈醉於強大魔法力量的阿諾特，在遇到右京前，未曾想過與生俱來的能力有這麼重要。

右京的天賦在剝削他的生命，阿諾特的天賦卻助他更上層樓，性格相似的兩人注定得到相反的結局。

「別作無謂掙扎了，解除他們身上的封印吧。」阿諾特的任務只剩下救出丹妮絲。

「我說過唯有殺了我，封印才會解除。」但右京去意已決，他不接受施捨與同情。

「右京，不要**執迷不悟**了，你這樣做是沒有意義的！」丹妮絲大聲斥喝，但她不知道自己也是右京不想活下去的原因之一。

「我做了太多不可原諒的事，這是我贖罪的方法，阿諾特你同樣為了自己的理想而誤入

歧途過，你能理解嗎？」就算活下去，右京也沒面目面對丹妮絲，他在天啟財團做過太多**喪盡天良**的事，死亡已是他唯一的出路。

「你確定這是你想要的結局嗎？」阿諾特明白右京的想法，他離開黑魔法派後，同樣地一度失去人生目標。

「作為你成全我的報酬，讓我告訴你一個地方，那裡藏著更多像小靈一樣成功通過實驗的小孩子。」右京已別無所求，他只想不要有更多小孩被拿來當實驗品。

「不要！」丹妮絲用力掙扎，無奈她被五指巨石緊緊壓住。

「成交。」阿諾特答應了右京的請求，他提起利爪，一手插入右京胸膛。

右京在阿諾特耳邊說出了一個地址，這令阿諾特露出震驚的表情。

不幸地，艾翠絲剛好從傳送門來到五指山，看到這血淋淋的一幕。

阿諾特……
你在幹什麼？

包括艾翠絲視為父親的分部長，一眾獵人在天啟大廈命送黃泉，艾翠絲慶幸得依娃放過，才拾回一命。她對妖魔的信任已 **蕩然無存**，黑魔法派不當阿諾特的承諾是一回事，但至少她還相信著阿諾特，相信他不會變成**草菅人命**的妖魔。

　　「右京！」封印的力量減弱了，巨石的壓制也減輕了，丹妮絲比其餘三人快一步掙脫出來，趕赴見右京最後一面。

　　「**為什麼你的手……染滿了鮮血？**」艾翠絲最後的信念也崩潰了，血流不止的右京正倒臥在阿諾特身旁。

　　「我……」阿諾特欲言又止，他素來不喜歡向人解釋。

　　「是我殺的。」阿諾特只說出結論，如果天啟財團的幕後領導人在這裡，他也會毫不猶豫殺死對方，替天行道。

「你果然和其他妖魔一樣……分部長死了，很多獵人也死了，他們都是被你害死的！」艾翠絲流下**盛怒的淚水**，她把一切責任歸咎於把黑魔法派幹部帶來人界的阿諾特身上。

阿諾特聽得一頭霧水，他還未知道大廈發生的事。

阿諾特嘗試向前步近艾翠絲，槍聲隨即響起以示對他的警告。

艾翠絲**眼神堅定**，持槍瞄準阿諾特，她和阿諾特的關係面臨決裂。

丹妮絲抱著右京的屍首，她最終也未能阻止右京步向滅亡，這刻丹妮絲回想起以前他們相愛的時候，右京總是會在完成任務後靜靜躺在她身邊，可惜這一次右京不會再醒過來。

　　阿諾特回到摩天大廈，他對自己所做的事沒有一絲內疚，直至他到達本來囚禁著海德拉的樓層。

　　「難怪艾翠絲會這麼生氣……」阿諾特看到那片慘況也**不忍直視**。

　　但是，沒有黑魔法派幹部的加入，這次行動一定不會這麼順利。

　　「老大，我們已完成任務了……但最後也找不到發光水晶的下落。」阿諾特接到黑狼奇洛的來電，奇洛和露比分別搗破了兩個天啟財團旗下重要的據點。

　　「辛苦你們了，回去大本營吧。」阿諾特掛斷電話，他已大概猜想到發光水晶的所在地，因為右京給了他重要的線索。

對艾翠絲而言，阿諾特做了無可挽回的錯事，原本艾翠絲打算脫離公會和阿諾特走在一起，但經過今晚他們將走上截然不同的道路。

右京的死亡除了令五指巨石的封印解除外，齊天大聖孫悟空頭上帽子的鎖扣也終於解開，但這段日子他已損失太多魔力，現在的他只能維持青少年的姿態。

「為什麼我感覺不到你的魔力？就連我的分身也感覺不到……」孫悟空深感不妙，他只知道，唐三藏的處境十分危險。

師父……
你到底在哪裡？

陵墓儀式進行的地方，四葉等人為迦南爭取到機會逃脫，但她們卻還在水深火熱之中。

　　愛莉的十隻手指已被古箏的弦聲磨損割傷，連繼續詠唱人魚之歌的力氣也沒有了。

　　「卡爾！」四葉的符咒和魔力也用盡了。

　　「我還支持得住……人狼百烈拳！」卡爾竭盡所能保護四葉，但他的肩膀和手臂早被殭屍咬傷，受屍毒影響而變成殭屍只是遲早的事。

　　「艾爾文……」看著艾爾文多處被咬傷，愛莉同樣心痛不已。

　　「在迦南回來前，我是絕對不會倒下的。」雖然聖劍的光芒愈來愈弱，艾爾文靠著意志力一次又一次站起。

　　「雙雙，再等一下……」雙兒緊緊抱著妹妹，就算超級殭屍雙雙施展落雷法術，她也沒有鬆開手臂。

　　面對殭屍**排山倒海**的攻勢，他們沒有

放棄希望，對生命的執著和堅持，最終一定能迎來曙光，就像這月黑風高的晚上，終將被晨光照亮。

走出陵墓的殭屍瘋狂襲擊平民百姓，加上鳳明君毫不留情的火焰攻擊，令女兒國陷入滅亡的困境。

「吸血鬼啊，你沒有更強悍的招式了嗎？沒有的話……你的朋友，還有整個東方也會被消滅。」鳳明君把安德魯壓倒地上，用鳳凰之火燃燒他的身體。

「使出來吧，不然你也會被殺死的。」心魔一直在慫恿安德魯，在經歷皇城保衛戰後，安德魯還未走出陰影。

「我……」安德魯正在**猶豫不決**，幸好一陣強風突然朝鳳明君吹襲，替安德魯解圍。

戰況出現了變化，黑色和白色的旗幟在舞動著，來自「帝都」和「四海」的兩國援軍相

繼到場。

「安德魯，你還好吧？」四海的繼承人——白龍扶起了安德魯。

「白龍老師……」安德魯早前受操控傷害了白龍，但他還是**不計前嫌**，挺身而出阻止更多受害者出現。

「女帝的計劃我已從金鈴口中知道了，但為什麼連女帝自己也變得怪裡怪氣的？」鐵扇公主和牛魔王強勢登場，紅孩兒帶領帝都士兵開始營救女兒國的國民。

「她被妖魔三大仙暗算了，他們由始至終也不是想幫助鳳禧，而是想令鳳明君復活。」安德魯沒想到援軍竟突然出現。

「害人終害己……鳳禧不只自食其果，還連累了支持她的國民。」白龍惋惜的說。

「有沒有方法能令鳳禧回復正常？」作為帝都未來的領袖，牛魔王希望能在最前線出一

分力。

「**方法只有一個，破壞貼在她額上的符咒。**」安德魯說。

「眾將士聽令，全力抵抗殭屍大軍，保護女兒國的平民百姓免受傷害！」然後鐵扇公主握起芭蕉扇，與其餘三人聯手向鳳明君發動進攻。

但現在的鳳明君如入無人之境，鳳禧的魔力本已強大無比，加上鳳明君吸收了**聖舍利**，實在是東方有史以來最可怕的妖魔。

陵墓的走廊內，迦南手執黃金魔劍成功令小金塔出現裂痕，但這還是不足以破解這法器，力竭的迦南手中魔劍的光輝已愈來愈弱。

「拜托……堅持多一會兒……」迦南高舉魔劍，她的力量只能堅持多一擊，肩負著眾多期望的她卻被突如其來的法術阻礙，無法揮斬下去。

腳步聲從後而來，他們陰險的笑聲就算看不到樣子，迦南也知道束縛她的是誰。

　　「找到你了。」虎力大仙拿出符咒，並以符咒法術束縛住迦南。

妖魔三大仙得知迦南的目的後，馬上找遍陵墓所有角落，他們十分熟悉這裡的環境，不用多久便找到迦南。

　　「你這丫頭三番四次破壞我們的好事，這筆帳我要好好跟你清算。」羊力大仙十分氣憤。

　　「不……她擁有著不可思議的力量，很可能比聖舍利更具有價值，把她奉獻給陛下才是最佳選擇。」鹿力大仙露出**意味深長**的笑容。

　　「無論是誰也好……有誰能幫我一把？」若然落入妖魔三大仙的手中，迦南的後果不堪設想。

　　無論是神明也好，魔鬼也好，迦南在心中禱告，只要能助她擺脫困境，要她付出怎樣的代價她也願意。

　　「什……什麼回事？」虎力大仙拿著符咒的手被**神聖的光芒**切斷了。

「是誰？」妖魔三大仙還未知道來者何人，三人也同時間被光芒貫穿身體。

束縛迦南的法術消失了，狂妄的妖魔三仙人也倒下了，迦南戰戰兢兢的回頭張望，六人穿著整齊制服整齊排列在一起向著她敬禮。

「女王，我們來遲了！」他們冠以天使之名，他們是最強公會獵人的代名詞——守望者。

迦南需要的奇蹟出現了，但她不敢輕舉妄動，因為她在人界見識過守望者的行事作風，守望者加百列差點奪去阿諾特的性命。

「我等守望者感應到女王的呼喚，特意前來助你一臂之力。」守望者的首領米迦勒露出友善的笑容，舉手投足散發出高貴的氣質。

「**你口中的女王是指迦莉，還是指我？**」迦南確定自己是女王轉生，也只是近期發生的事。

「當然是指閣下，你可是我們期盼已久的人類的希望啊。」米迦勒伸手向迦南，迦南不禁向後退縮。

「你不是急需要力量嗎？現在可不是猶豫的時候啊。」米迦勒有如**未卜先知**，清楚知道迦南的一切。

四葉等人危在旦夕，唐老師生死未卜，就算面前給予她力量的是魔鬼，迦南也必須接受。

　　「請不要忘記，我們是為侍奉女王而存在的。」米迦勒和其餘五名守望者把右手疊在一起，待迦南把手放在上面。

　　守望者的魔力如激流湧進迦南身體，前一秒還快要消散的金黃魔劍，下一秒便散發輝煌的金光，迦南的魔力瞬間回復充沛。

　　「我們身份特殊，不便長留在魔幻世界，請容許我們先行告退。」米迦勒此行的任務已完成，是時候功成身退。

　　「但我們很快便會再見面的，女王。」守望者的目標，是要迦南欠他們一個人情，並在她面前留下美好的印象。

　　迦南遇過不少嚇人的妖魔和高強的人類，但從未見過像米迦勒這樣的人。明明一臉笑容，卻又高深莫測，令人毛骨悚然的人。

然而迦南沒有忘記現在最重要的，是拯救唐老師和她的摯友。回復魔力的迦南再次高舉魔劍，利落的斬開小金塔。

「唐老師！小猴！」迦南立即走到兩人身邊，慶幸懷中抱著小猴的唐老師還**尚存一息**。

「老師你要振作啊……」聖舍利的力量已被吸取得七七八八，迦南留意到唐老師的魔力還在傳送出陵墓。

因為打破囚籠不等於破解秘法，關鍵的符咒還

牢牢的貼在鳳禧額頭上。

「小猴……」迦南瞪大眼睛，她看到小猴的身體快要消失。

五指山上，重獲自由的孫悟空一直以感知能力找尋唐三藏的位置，小金塔被破壞後，孫悟空終於得到答案。

「筋斗雲！」孫悟空**仰天長嘯**。

漫長的晚上快要結束，太陽終將把黑暗趕退，天色開始變化，雲霧中孫悟空的座駕從天而降。

「我回來了，拍檔，去找師父吧！」腳踏彩雲的孫悟空要飛千萬里是等閒事，加上他現在十分憤怒，憤怒的猴王是東方無出其右的霸主。

「女兒國被弄到一片狼藉呢……」孫悟空風馳電掣，烈火焚城的慘況教人無比心酸，這就是權欲熏心的後果。

「**最首要的是確保師父平安，金剛棒！**」孫悟空已快到達陵墓，他呼喚出自己的絕世神兵，準備直搗黃龍。

金剛棒無堅不摧，多少個樓層也被孫悟空輕易衝破，他如同急墮的流星從天而降，直至回到唐三藏身邊。

「孫……孫悟空？」迦南還以為是強敵來襲，雖然外表變得年輕，孫悟空的魔力還是霸道無比。

小猴在徹底消失前回到孫悟空的體內，他所經歷的一切瞬間浮現在孫悟空腦海。

　　「迦南……幸好你沒有放棄，不然師父很可能已**返魂乏術**，老孫欠人的一定會還，但首先……」孫悟空把一顆靈藥放進唐三藏口中，雖然這只是權宜之計，但起碼能保住唐三藏的性命。

　　「首先讓我終止這場鬧劇！」孫悟空再次騰雲駕霧，向鳳明君的所在地飛去。

　　鳳明君正以一敵四，雖然人數上佔優了，但安德魯還是不感到樂觀。

　　「五行之中，水屬於火的剋星，但在這傢伙面前，卻一點作用也沒有。」白龍的法術無功而返。

　　「我的芭蕉扇也沒有功效，他的火焰還愈燒愈旺。」鳳明君被烈焰包圍，鐵扇公主只能

小心翼翼的使出遠程法術。

「差距太大了……這就是曾一統東方的人該有的力量嗎？」牛魔王被輕描淡寫的一掌擊退，大家頓時一籌莫展。

「還未是時候……機會只得一次。」安德魯還有使出一次大型魔法的魔力，他必須小心謹慎。

「你們都是這時代的大將嗎？東方廣闊的大地沒有出現更強大的妖魔嗎？這樣怎面對西方的挑戰？怎應付在背後虎視眈眈的人類？」鳳明君感到失望，就算告知眾人自己的弱點，他們還是望塵莫及。

鳳明君是上一代的傳奇妖魔乃不爭事實，然而每一個時代也會誕生屬於它的傳奇，在這一代叱咤風雲的人物是——孫悟空。

「伸長吧，如意金剛棒！」高空之上，孫悟空高舉金剛棒，沉重的揮向鳳明君。

「很燙！很燙！」鳳凰之火令金剛棒熱力急升，孫悟空棄棒朝鳳明君突進。

「千猴分身變化！」孫悟空變成數之不盡的迷你猴子，飛撲向鳳明君。

「鳳仙火。」鳳明君兩手揮舞，放出兩隻火鳥燒毀迷你猴子。

「得手了！」鳳明君雖然**力壓群雄**，但孫悟空由始至終的目標只有他額頭上的符咒，迷你小猴已碰到符咒。

「為什麼拔不掉的？」迷你小猴無法取下符咒，反被鳳明君吐出的一抹火焰燒焦。

「要銷毀符咒，便要以更猛烈的攻擊打在符咒上。」鳳明君身不由己，口裡卻可以相助敵方。他希望快點還女兒自由，但一日不解決這道符咒，鳳明君和殭屍大軍的靈魂也無法安息。

「謝謝你寶貴的意見！」巨大化的金剛棒從天而降，把鳳明君暫時壓制住，齊天大聖孫悟空又以其**變化萬千**的法術得人傳頌。

「你們是來當觀眾的嗎？還不和我一起上！」孫悟空看著安德魯，得知事情來龍去脈的他已不再憎恨安德魯。

隨著太陽穿過雲霧照耀大地，這漫長的戰
鬥進入最後階段，孫悟空的增援令安德魯有了
信心，他要使出在他心裡留下了陰影的魔法。

第八章

告別

　　帝都和四海兩國的士兵將領一邊對抗著殭屍大軍，一邊拯救女兒國的平民百姓，三個國家的國民同一陣線，這是自從鳳明君逝世後久久沒有出現的情景，想不到今日三國國民又再因為鳳明君而團結一致。

　　「一起上！」牛魔王施展出牛妖強壯魁梧的姿態，鐵扇公主則以羅剎女的強化狀態迎戰，兩人左右開弓，分散鳳明君的注意。

　　要摧毀符咒，先要令鳳明君動彈不得。

　　「鳳凰火球。」但要接近鳳明君，先要越過他不滅的火焰。

　　「符咒法術，驚濤駭浪！」龍族擅長馭水法術，水火相撞產生大量水蒸氣。

　　「機會來了！」牛魔王和鐵扇公主趁機會

箝制住鳳明君的雙手。

　　「還差一點……」孫悟空把魔力貫注到金剛棒內，準備一擊摧毀符咒。

　　鳳明君意識到孫悟空的威脅，即化身成火鳳凰，拖曳著牛魔王和鐵扇公主，朝孫悟空飛去。

　　「海龍變化！」白龍變為海龍真身，和火鳳凰迎頭相撞。

　　盡三人的努力，依然阻擋不住鳳明君的來勢，眼見孫悟空的最後殺著還未就緒，安德魯挺身而出，以「嗜血的帝王」施展出他最強的魔法。

　　「機會只有一次……極限黑洞魔法！」安德魯使出父親的最強招式，能吞噬世間萬物的黑洞在火鳳凰身後張開。

　　安德魯深知能對付鳳明君的招式，就只餘下黑洞魔法，但他曾被吸進黑洞內險死還生，

他現在有沒有掌控這魔法的實力，其實他一直缺乏信心。

現在安德魯有新的魔法杖，這支曾屬於**魔界之王安格斯**的魔法杖會成為他的助力，引領他登上更高的山峰。

「幹得好！」鳳凰之火被吸進黑洞，鳳明君更被後方的強大牽引力導致無法前進，給予孫悟空絕佳的時機。

「**生死有命，無論這時代有多惡劣多不堪，也是屬於活在當下的人的，安息吧！**」金剛棒閃閃生輝，孫悟空全力一擊揮打在符咒上。

安德魯立即收起黑洞，這一次他終於成功做到**收放自如**。

符咒碎裂了，在鳳禧的意識世界，她看到鳳明君走到她的面前。

「父……父王。」鳳禧**熱淚盈眶**，不知從何時開始，就算她燃起猛火也感受不到熱力，但現在她能覺切感受到臉頰上的眼淚，是溫熱的。

符咒化作塵土隨風飄遠，鳳明君的靈魂也消失殆盡；陪葬的士兵們終於得到解放，在女兒國肆虐的殭屍危險亦得到解除。

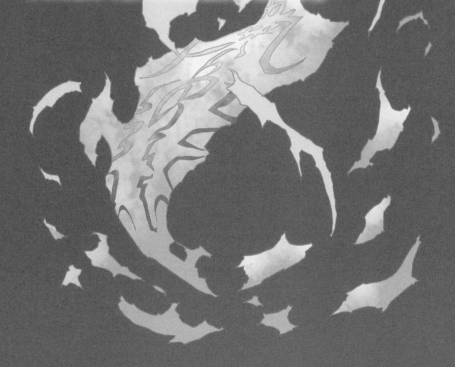

「成功了……」安德魯鬆了一口氣，掌握黑洞魔法對他**意義重大**。

「原來你留了這麼厲害的一手。」孫悟空拍打了安德魯後背一下。

「孫悟空，我……」安德魯對欺騙小猴一事還耿耿於懷。

「我知道你也是身不由己，過去的事便一筆勾銷吧！別婆婆媽媽啦，還有人在等我們的。」孫悟空豪邁的笑著說。

「迦南……」但還有一隻殭屍，是安德魯十分在意的。

「還有雙雙。」安德魯的東方冒險之旅，是從馬家姐妹身邊開始的，而這旅程已臨近結束。

陵墓內，唐三藏老師終於回復知覺，她**迷迷糊糊**的張開眼睛，映入眼簾的正是她

心心念念的人。

「悟空……是悟空嗎？」唐老師輕撫著孫悟空的臉頰。

「師父，我回來了。」孫悟空及時破壞了符咒，唐三藏雖然保住了性命，但也付出了沉重的代價。

「**我……感受不到自己的魔力了**。」聖舍利被消耗掉，現在的唐三藏和凡人一樣，再也使用不了法術。

「最重要的是你還活著，我以後也不會離開你半步了。」孫悟空意識到一件重要的事，他面對**千軍萬馬**也未曾膽怯，但在唐三藏命懸一線時，他是多麼害怕。

雖然唐老師失去了魔力，但她和孫悟空的故事才剛開始，他們從此不再分離，一起踏上新的旅途。

另一邊的安德魯找到迦南後，馬上回到儀式開始的地方。

　　「大家……」迦南提心吊膽，她看見四葉等人正倒臥地上。

　　「不會的……」安德魯有不好的預感，一步步走到他們身邊。

　　「**嚇死我了！我還以為這次死定了！**」卡爾突然彈起，嚇得迦南和安德魯差點跌倒。

　　「我也是……看到你變成殭屍撲向我時，我也以為會無命呀。」四葉**平安無恙**，幸得孫悟空及時破解了殭屍秘法。

　　「一定是因為你太香了！就算我變成殭屍第一時間也會想到你。」卡爾指的是去找四葉的飯菜吃。

　　「虧你還這麼有精神……」艾爾文變成殭

屍也不忘揮動聖劍，他們也從鬼門關走了一趟。

「嗚……真的太可怕了，一回想到艾爾文變了殭屍我又想哭了。」愛莉被這次的經歷嚇怕了，以後一提到殭屍也會**心驚膽戰**。

「太好了……大家還活著。」迦南抱著大家泣不成聲，她差點便失去這班為她奮不顧身的摯友。

但不是每一個人也能有美好的結局，殭屍女孩雙雙最終還是無法復活還陽，該發生的事情還是要發生。

「姐姐……不要哭嘛，我已經活多了很長時間了。」躺在雙兒懷中的雙雙，連為姐姐抹乾眼淚的力氣也沒有了。

「雙雙，對不起，我沒有遵守承諾，令你復活過來。」安德魯來到雙兒和雙雙身邊，送雙雙最後一程。

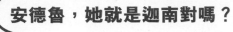

安德魯，她就是迦南對嗎？

雙雙羨慕的眼神看著迦南，如果不是出生於馬家，或者她也會像迦南一樣遇上**生死相依**的好友和喜歡的人。

安德魯會永遠記得這個活潑的女孩，記得在東方魔幻世界的*一點一滴*。

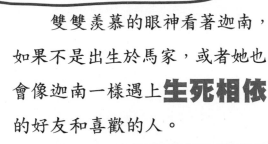

嗯⋯⋯

姐姐，你也去魔幻學園上學吧⋯⋯馬家經已不在，你不用再為我勞累，是時候去找屬於你的人生了⋯⋯

但雙雙無悔出生
在馬家，因為那裡有
她最心愛的姐姐。

「雙雙！」雙雙
的眼睛慢慢合上，雙
兒知道妹妹的生命要
結束了。

如果有來生，下一次由我
來當你的姐姐吧，我會好好
疼愛你的……比你疼愛我的
還要更多更多。

雙雙離開了人世，她腦海中最後的畫面，
是和姐姐一起，挽著安德魯的手，
三人結伴同遊。

　　人界之內，阿諾特在離開天啟財團的摩天大廈後，便懷著沉重的心情啟程回去自己的大本營，他還在思考從右京口中得知的事實。

　　然而當他回到郊野，卻看到舊教堂已被**徹底破壞。**

「怎會這樣的？」阿諾特感到難以置信，他辛苦建立的家園竟被**一夜摧毀**。

「老大，快過來！」小貓女菲蕾在樹林中向阿諾特揮手呼叫。

「菲蕾……還有大家。」阿諾特鬆一口氣，他以為他的家人也遭遇不測。

「幸好小靈預知到有壞人會出現，我們早一步躲在樹林才逃過一劫。」菲蕾和小靈帶領年幼的妖魔們成功逃脫。

「是誰幹的？」阿諾特是個有仇必報的人。

「是個穿藍色制服，拿著一對金色手槍的人。」菲蕾害怕的說。

「老大……是公會的守望者，此地不宜久留，我們已成為公會的眼中釘了。」人狼奇洛感嘆前路難行，獵人公會已和他們誓不兩立。

「大家平安就好，大本營摧毀了我們可以搬去新的地方，至於公會……就算他們不找上我，我遲早也會找上他們。」右京告訴阿諾特的那地方，是**公會總部**。

老大，艾翠絲姐姐呢？

她不會回來了……她選擇的不是我。

阿諾特連難過的時間也沒有，獵人的追捕將會接踵而來。

黑焰貴公子的人界冒險將會面對更多敵人，更多難關，**他下一次和艾翠絲碰面時，將不會是並肩作戰，而是兵戎相見。**

　　獵人公會總部，七位守望者再次回到聖殿，兩個約娜正在等待著他們。

　　「怎麼樣？我沒有騙你們吧？」成年約娜微笑的神情充滿信心。

　　「女王的確在那裡，而我們也成功在她面前留下良好印象。」米迦勒之所以能及時拯救迦南，全靠從未來回到現在的約娜提供情報。

　　「那我要辦的事情已辦完了，女王的未來會發展成怎樣，便看你們的造化了。」成年的約娜舉手投足也散發著**深不可測**的神秘感。

　　「你不妨留在這時代為公會效力，我們不會虧待你的。」米迦勒暗中凝聚魔力，這既是利誘同時是威迫。

「這時代已沒有我留下的理由了……」成年的約娜略顯悲傷。

「同樣地，這時代也沒有能留下我的人。」成年的約娜突然嚴肅起來，守望者全被她的殺氣和魔力震懾，只能目送兩個約娜離開。

「海德拉被救走了，而且天啟財團多個據點也被摧毀了，我們下一步該怎麼辦？」加百列問。

「天啟財團的歷史任務已完成，而且女王覺醒在即，我們最首要的任務是為迎接女王做好充足準備。」**米迦勒的目標是拉攏迦南。**

女王對全體人類來說是意義重大的存在，當日女王能創造出魔幻世界、結束和妖魔的戰爭，意味著女王有足夠力量摧毀魔幻世界滅絕妖魔，而這也是守望者渴望得到的結果。

「那麼，我們也是時候說再見了，現在的我。」成年約娜張開了廣闊的魔法陣。

「我現在……該何去何從？」年輕的約娜感到迷茫。

「去找阿諾特吧，哥哥他……會難過一段很長的時間，但這個倔強的傻瓜，不會在別人面前露出軟弱的一面。」失去艾翠絲所帶來的痛苦，是阿諾特埋藏心底的秘密。

未來的訪客消失在約娜面前，她對這時代作出的干涉到底會帶來多少影響，唯有回到未來的她才知道答案。

艾爾文得知獵人公會**死傷枕藉**後，立即回到人界參與一場隆重但不為世人所知的葬禮。

「分部長，請你安息。」艾爾文難掩悲痛之情，分部長對他和妹妹而言，情同父母。

大量獵人被海德拉所殺，黑魔法派會否潛藏人界引起獵人極大關注，而導致這麼多人喪生的罪魁禍首——阿諾特成為了公會的頭號公敵 。

「哥哥，我要成為守望者。」經歷了這麼多事情後，艾翠絲作出了重大決定。

「但你不是對公會的制度有所質疑嗎？」艾爾文知道在他去了魔幻世界的日子裡妹妹經歷的事後，其實他的內心同樣忐忑不安。

愛莉是妖魔，而艾爾文是獵人，兩族的衝突不知道何時又再發生。

「唯有成為公會的決策人才能改變公會，我不能再把無能為力當做藉口。」艾翠絲要成為制度的一部分，從最接近核心的地方作出改變。

「這會是條艱苦的道路，但我會和你一起走的。」艾爾文是艾翠絲唯一的親人，他決定和妹妹共同進退。

艾翠絲選擇和阿諾特**分道揚鑣**，為了獵人的使命，她放棄了少女的身份，放棄了令她初次心動的那人。

各人的路向・下

第十章

　　東方學園內，真正的麒麟校長回到學園內，這次東方亂局得以結束，除了迦南等人的付出外，在人界的阿諾特也是**功不可沒**，而這亦令東方魔幻世界知道團結的重要，如果不結束三國內鬥，人類或許會趁機會大舉進攻。

　　「從今天開始，東方三國結成同盟，再也不分帝都、四海和女兒國，**東方聯合國**正式成立。」麒麟校長促使了三國共同合作的關係，往後關乎東方魔幻世界的事務都交由議會投票表決。

　　前三國的代表加上東方學園的校長，十人組成的議會成為東方和平的象徵。而鳳禧

亦要為殭屍事件負上責任，議會為她安排了一個艱難的任務，讓她將功補過。

不知不覺間，迦南在東方魔幻世界當交流生的日子也到達尾聲，餘下的四年級課堂生活在安穩中渡過。

「這一年真的辛苦大家了。」唐老師雖然失去了魔力，但她還是完成了這一年的教學。

「真的很辛苦……自從孫悟空加入後，每天也累死人了……」卡爾哭喪著臉說。

全靠孫悟空擔任助教老師，唐三藏才能順利完成她最後的教學，魔力盡失的她決定辭退教師的工作，和孫悟空遊歷四方。

「唐老師……我覺得很抱歉，如果我能早一步把你救出，你便不會失去一切魔力。」迦南為唐老師感到難過，聖舍利強大的力量就此消失。

「迦南，魔法力量不代表一切，這個世界還有很多事物值得我們探索、值得我們發掘。」但唐老師一點也不覺得可惜，反而十分感激。

「我還能活著，能和悟空開始新的旅程，我已經心滿意足了。」對唐三藏來說，**幸福是不需依靠魔法和法術**。

迦南你救了我師父一命，老孫欠你一個很大的人情，這人情你想我怎樣償還？

不！不用！

「那你就收下這東西吧，他日若你需要老孫幫助，只要對它呼喚我的名字，老孫定必出現在你面前。」孫悟空送給迦南一個**金色髮夾**。

四年級的課程圓滿結束，迦南等人告別東方魔幻世界，啟程回到西方魔幻學園，魔幻學園的五年級生將會進行實習。

學生可以自由選擇實習場所，實習場合遍布各地，有的在東方、有的在西方、更有的位於人界。

「卡爾，你選的實習工作是？」安德魯問。

「我選了魔幻王國的實習士兵。」卡爾將來希望加入**皇家騎士團**。

「四葉和愛莉呢？」各人也有著不同的去向。

「在東方有一位非常有名的**美食獵人**正招聘實習學徒，我打算跟隨他提升我的廚藝。」四葉決定深造廚藝。

「我選擇回海洋之都學習製作**魔法樂器**。」愛莉當然不會放棄音樂。

「安德魯你呢？」卡爾問。

「我還未決定。」安德魯像是心事重重。

「你是打算迦南去哪裡實習，你就選擇和她距離不遠的地方吧？」四葉看穿了安德魯的心思。

魔幻學園六年的學制中，實習佔了最後兩年的時間，一旦分隔兩地，安德魯和迦南便要等待兩年後才能重聚。

更重要的是，安德魯心裡十分不安，海德拉已重獲自由，**他害怕歷史會重現，九頭蛇會再次殺死女王。**

「迦南去了校長室已經很久了，不知道是否和實習的地方有關呢？」四葉的猜測沒有錯。

校長室內，校長巴哈姆特把迦南叫來，是為了商討她的去向。

迦南，你是可以選擇拒絕的……

校方收到一份指定迦南去實習的邀請，這令校長巴哈姆特十分困惑，他不確定在這地方實習對迦南會不會是一件好事。

不，我樂意接受。

　　「人界的狀況變得愈來愈混亂，而且海德拉和黑魔法派已 死灰復燃，你真的不選擇其他地方嗎？」巴哈姆特十分寵愛迦南，在她剛進入西方學園時，他已知道迦南與別不同。

「正因如此，我更需要前往這地方，我知道我會在那裡找到答案。」迦南眼神堅定，她已不再是初入學時的菜鳥魔法學生。

女王的力量令迦南意識到自己可以做到更多更偉大的事，她也知道自己會像唐老師一樣，因為擁有珍貴的力量而陷入危機，但她不能逃避。

粉紅色的大樹下，安德魯和迦南約好在她從校長室離開後便在這裡見面。

「迦南，校長找你是有什麼特別的事嗎？」安德魯曾承諾過在這裡告訴她自己的心意。

西方學園一直流傳著一個傳說：在粉紅大樹下告白的情侶，會得到**愛神的祝福，幸福快樂、永不分離**。

「嗯，我進行實習的場所已定下來了。」迦南沒有忘記這約定。

「是在哪裡呢？」安德魯想在今天向迦南兌現承諾，因為無論迦南去哪裡實習，他也打算申請去同一個地方。

但有一個地方，是絕對不會歡迎妖魔的。

「人界的……**獵人公會總部**。」迦南的選擇，是公會最核心的地方。

「為……為什麼？」安德魯不明所以，迦南一定知道那裡不會接受妖魔申請。

「因為我想弄清楚『女王』的存在，有什麼意義，我更想完成『女王』當日還未完成的事。」若不是守望者出手相助，迦南或者已被妖魔三大仙殺死，更別說救出唐三藏和破壞符咒。

只要成為人界真正的女王，守望者甚至整個公會的力量將為迦南所用，這樣迦南就能完成迦莉做不到的事——*為人類和妖魔建立真正的和平。*

得知迦南的意向後，安德魯久久不能反應過來；他錯過了告白的時機，也錯過阻止迦南的最後機會。

　　一個月後，實習生活正式開始，各人也朝著自己的目標進發，展開了新的一頁。

　　人界之內，安德魯拿著**取錄通知書**走到一個人煙稀少的舊街區裡，就算不能在獵人公會總部實習，他也可以在人界默默守護迦南。

　　女王、帝王和九頭蛇的命運冥冥中自有主宰，這次他們的舞台不再在魔幻世界，而是在人界之內。

我的吸血鬼同學・第二季
・
完

下回預告

我的吸血鬼同學

安德魯和迦南各自開始了在人界的實習生活，但人類和妖
魔對立的局面日益惡化，因此就算身在同一天空下，兩人
恐怕難以見面。

在魔法萬事屋的工作令安德魯屢受挫折，他開始質疑：
學習魔法的意義到底是什麼？

故事步入最終章
vol.21 2024 年 1 月出版
新年‧新篇‧新開始

＊編按： 21 期開始，售價將略為調整至 $78，敬請留意。

創造館 青少年圖文小說

花樣

文──陳四月
圖──多利

文──卡特
圖──魂魂Soul

文──陳四月
圖──余遠鍠

文──謝鑫
圖──Mimi Szeto
（司徒恩翹）

文──三聯幫牟中三
圖──力奇

經已出版

特別公告

我的
吸血鬼同學

我的
吸血鬼同學

我的吸血鬼同學

親愛的《我的吸血鬼同學》忠實讀者們：

感謝你們一直以來的支持。

從西方魔法學園，到東方魔法世界，我們已經一起經歷了 20 回的大冒險。

和迦南、安德魯一眾魔法學園生，成為了出生入死的好朋友。

隨著下期新一章故事舞台回到人界，最終之戰即將上演。

而人界這幾年也真的有很大變動呢（笑）！

出版社也在持續戰鬥之中：因為疫情及通脹關係，製作成本如紙價、印刷費、物流運輸等大幅上升，可是我們目前的書本售價已維持不變多年，再這樣下去，出版社和作者都撐不住啊；所以由 2024 年開始，本館所有兒童圖書的售價將調整為每本 $78。

未來我們將會一如以往，為香港小朋友呈獻最優質童書。

無論社會怎變遷，我們還是會在一起——作者負責寫最有趣的故事；創造館負責出版最好看的圖書；而你們，則負責享受最大的閱讀樂趣。

為回饋讀者，21 期將會隨書免費附送「迦南或安德魯人物立牌」一個（單獨購買每個價值 $38）。

CREATION CABIN

童話夢工場
十萬個 為什麼？

系列頭炮，
精選 3 大題目

掃除理財盲！

掃除地理盲！

童話夢工場
十萬個
Money 理財
為什麼？

童話夢工場
十萬個
Live in HK 地理
為什麼？

**部分名家
推薦名單**

Esperanza「醫片跟親共善社」創辦人
曾俊華（前財政司司長）

天蘭教授居工理工大學應燈系副教授
曾國平博士

香港家庭婚財管理教育中心高級經理
陳慧敏（投用理財社工）

**部分名家
推薦名單**

冰川學家、地理學家
張偉賢（《SBS》全球森林暨區
忙十名森財家之一）

鄉師自然學校校長
葉頌昇（海星校長）

童話夢工場英文版徇眾要求面世喇！

The Fairy-tale Dreamland

The Magical Alice
魔幻愛麗絲

The Snow Princess
冰雪公主

1-3期經已出版

展開校園成長✕魔幻歷險
的精采旅程

故事簡介

長處於孤獨、受詛咒纏身的千金小姐潘娜恩，
在父母雙亡後得到四騎士的保護。
她們為了解開陰謀和謎團，開始追尋和收集十二聖物。
這些聖物各有神奇力量，運用它們就能施展魔法。
目前她們已找到「水瓶座的魔法筆」、
「雙魚座的魔笛」，及「獅子座的襟針」。
這是個發生在貴族校園與魔幻世界
的華麗青春成長物語！

作者
陳四月
《我的吸血鬼同學》

插圖
魂魂Soul
《推理七公主》

各大書局現已有售

·我的·
吸血鬼同學

創作繪畫　　余遠鍠
故事文字　　陳四月
策劃　　　　YUYI
編輯　　　　小尾
設計　　　　陳四月
實景　　　　張耀東
製作　　　　知識館叢書
出版　　　　創造館
　　　　　　CREATION CABIN LTD.
　　　　　　荃灣美環街 1-6 號時貿中心 6 樓 4 室
電話　　　　3158 0918
發行　　　　泛華發行代理有限公司
　　　　　　香港新界將軍澳工業邨駿昌街七號二樓
印刷　　　　高科技印刷集團有限公司
出版日期　　2023 年 11 月
ISBN　　　　978-988-70025-0-5
定價　　　　$68
聯絡人　　　creationcabinhk@gmail.com

本故事之所有內容及人物純屬虛構，
如有雷同，實屬巧合。

創造館
CREATION CABIN

目錄

我的吸血鬼同學

20
煙飛星散

創作繪畫・余遠鍠　　　故事文字・陳四月